サザエさん

㊳

長谷川町子

朝日新聞社

反《はん》抗《こう》期《き》
戸《と》をしめてってヨ!
ねー!!しめてったらどオ!!

スト!!

ウム こっちは大丈夫《だいじょうぶ》！

タートルネック
イクスキューズミー
ノーノー
エイゴ
だめ

ファッションブックに出したいんで、この服《ふく》をきて
はつばい日
書店
色黒《いろぐろ》でずん胴《どう》の方に合うスタイル
背《せ》が高くやせ型《がた》の方

おしゃれの店
DEC22-018.000
毎度有難うございはす
なにを買《か》った?
ハ、ハンドバッグ
で、だれにやったの?
そ、それはサラリーマンの必要《ひつよう》経《けい》ヒで
ぜいむ署《しょ》はみとめてもウチじゃ、とおらないぞ
サラリーマン減《げん》税《ぜい》のミチはけわしい

おみかぎリネ
おデンワかけてよ
一二二局の八五九七
一二二の？
なんだっけ
一〇二局の
八五八八？
じれった
いわネ
あたしの
バスト・ウエスト
ヒップのサイズ
と同じよ
あ、
一一二局
の八五・九七
ね！
こういう
こととなると
ふしぎに
おぼえちゃ
うんだ
バカぁ

XX省
パッタリ
こんどボカァせんべつなんだ
てんきんでしょう?
そう……
XX省
かたるにおちた

ネ、つまんないことだよママ

四カイの非常口《ひじょうぐち》どこ?
ここでございます
ホウすべり台《だい》式《しき》か
ア、まだ工事《こうじ》中で!

やき鳥
酒
やき鳥
酒
やき鳥
酒
誇大《こだい》広告《こうこく》だ
なんてヤボな
ことは いいっこ
なし!!

りょうりもまずけりゃ
育児《いくじ》もヘタ
そうじもセンタクもなっちゃいない
そんなおくさんはこまりますワネ〜エ
いや・そういって共《とも》かせぎの奥《おく》さんにリコンされたんだ!

せいぼ大
デパートは、むやみとダンボウしすぎる
ボウシおとりなさいヨ
マフラもとろう
オーバーももってましょう
そうするか
食堂
あたしはボウシとマフラしかあずからないワヨ
やられた!!

ネエ、ネエ こづかい おくれヨ〜〜
ウルサイ
ウラの おばさん がネ パパの ボーナス いくらだっ たって
ハッ
あんた いった？
いうもんか ウチの はじ なんか
と、こういう ふうに もちかけるン だヨ

新春談話取材
社長はしんに立志《りっし》伝《でん》中の人物ですナ
ホウわかる？
用《よう》務《む》員《いん》室のシャシンで
キンちゃんなぜこのシャシンをおろさんのヨ!!
用務員室

ウチの前《まえ》にとまってた車《くるま》さ、お客《きゃく》さんのじゃなかったヨ
バスでかえった

けさは朝食会《ちょうしょくかい》だ!
朝食会《ちょうしょくかい》か!いいごみぶんだナ
会議室
上戸《じょうご》というのに
泣《な》けるよっ
なにゆえわが社のクリスマスケーキがかくも多く売《う》れのこったか……
……

安あがり料理カルタ
こどものパーティー
バナナでいこう
こ
輸入かじょうでバカ安だってネ

さんが日《にち》は
パンを出そう
さ
まーおトースト!
おめずらしい!!

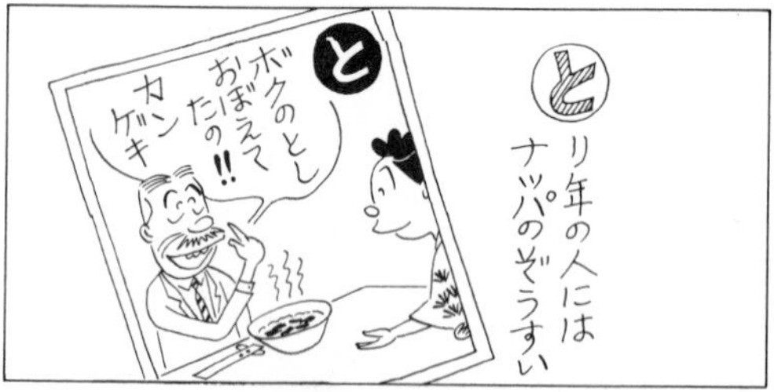
とり年の人には
ナッパのぞうすい
と
ボクのとしおぼえてたの!!
カンゲキ

のんべの客には
居るすでいこう
の
いないの!
オーイ
いその

九じだ！きたくのジカンだ
パッ
しょくん、しつれいする
と、帰《かえ》れるほど意志《いし》が強《つよ》けりゃもっと出世《しゅっせ》してらァ
そうだそうだ

いいとこにきたワ
おモチきって
アイ
きた
きりわすれて
五、六日は
たってるな

忙《ぼう》中《ちゅう》閑《かん》あり
正月
帰省列車
正月
これしきませんか
スミマセン
アハハハ

一生《しょう》に一度《ど》は初日《はつひ》の出をおがみましょうヨ
あたしゃ二十五年、初日《はつひ》をみないことなし
ホントネ
ボン美容室

あらトリ！
オオ！とり入るといってエンギがいい!!
サラリーマン無《む》税《ぜい》！
とかいってサラリーマンのフトコロをねらうなョ

主人 ゴルフ
むすこ ドライブ旅行
むすめ スキー
トランプさばきもうまくなるワョ
パラパラパラパラ

いいボッちゃんだ!!
ナマエは?
イクトシ、十二月生《うま》れ
クルトシ、一月生《うま》れ
親《おや》もおぼえやすいんで

正月そうそうついてねェ
……こともない

オー！ひさしぶりに男らしいスガタ
で、ことのおこりは？
ガスがまとデンキがまじゃどっちがフックリめしがたけるかてェンで
いかしちゃおかねー

国鉄《こくてつ》さ一等《とう》をやめるんだって
五年三組
センセイ!!
5をなくしましょうや、おたがいに
五年三組
きらくなんだけどな〜

冬山そうなん
みなさんにゴメイワクかけてとうさんはメンボクないッ
マァマァマァ
マサオ、よかったなァ
こいつメしんぱいしたゾ
このーバカもの

梅まつり
えき
スイマセン おかりして いい？
アア
梅まつり
えき
こん夜《や》は はんじょう だネ
おかげ さンで
え
ドウゾ
おでん
えき

○○高校
担任《たんにん》かア
このごろのセイトはもー
礼《れい》ー!!!

成人の日
いまの娘《むすめ》さんたちはシアワセねー〜、あたしの成人《せいじん》の時はせんそう中でしょ
そうすると……
いがいと あの奥《おく》さん お若《わか》いのネ！
なにげなーく サバをよんじゃった

いま
シゴト中で……
いいから、ドッグフード一かん
ハナ紙 ひとしめ
タラコ 三《み》はら、
復唱《ふくしょう》して!
だらしねえゾ、
ちったァ
ガンと
やれヨ
やってやる
さとに
かえらして
もらい
まス

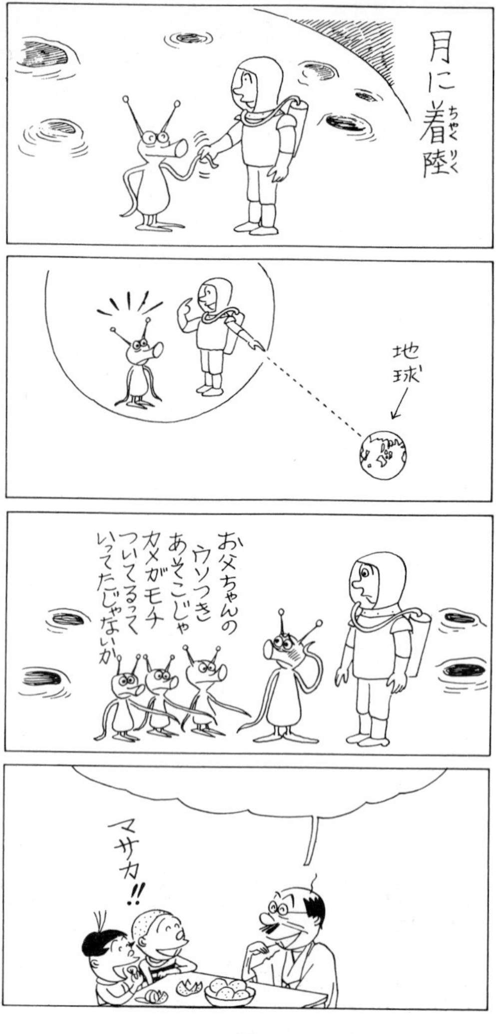
月に着《ちゃく》陸《りく》
地球
お父ちゃんのウソつきあそこじゃカメがモチついてるっていってたじゃないか
マサカ!!

かる〜くめしあがっていらして
なんにもないけどカビのはえたチーズよ
マー・ぼうふ剤《ざい》がはいってませんのネ！
黒いパンに、色のわるいソーセージよ
ひょうはく剤《ざい》も
色素《しきそ》もなしネ！
けっこうなものばかり
イタダキマース

着《き》たわ!
来《き》たのネ!
?
いも
石やき
BUS

カンセイなとこにおすまいだそうで
通勤《つうきん》に往復《おうふく》三時間《じかん》でしょ、もうクタクタデネ

マンション
また都心《としん》のマンションに帰《かえ》ってきました
こりゃベンリですな

なにフロがこしょう？じゃセン湯《とう》にいこう
あなた、夜の人口がすくないんでこのへんおフロ屋はみんなはい業《ぎょう》ヨ

BUS
こんだ五十分かかってフロ屋がよいですヨ

全国名産展
うまいもんね~
さすがだわネ~
あいつ客《きゃく》がほめるとオダテにのっちゃうんだ

流感《りゅうかん》がまたノサバリだしたな
部長
流感《りゅうかん》か！あいつは早いとこぶちのめすこかぎるんだ
どうかんどうかん
部長
部長《ぶちょう》のアダナ「流感」にしてから
大びらでわるくちいえてスカッとするナ

にくマン
あんマン
かずがちがうヨ
なんだって
にくマン
あんマン
そんなこたねえヨ
イヤニラ多《おお》い
東大《とうだい》の受験生《じゅけんせい》なんでなぐさめてはやりたいし
アンタテレやだし、うまくいかなかったネ

そう太《ぶと》っちゃよくないゴルフをなさい
ハア
なにいってんのあの医者《いしゃ》
しろったって
ボールがみえないじゃないサ

パチッ
てんきよほうか！
このようなボタンホールは不《ふ》出《でッ》来《き》です
こちらが正《ただ》しい
なんだ洋裁《ようさい》か

人材銀行
二つかりるよ
ケイ馬《ば》ケイりんが中止《ちゅうし》になるから
ハア、こみで働《はたら》けるシゴトをひとつ……

バカ!! 男《おとこ》のくせに そんなかみ ヤメロ
こっちだって やりたかねえや!
いでんは あらそえんヨ
ショック

乗るなら飲むな
飲んだら乗るな
乗るなら飲むな
飲んだら乗るな
できればのむな
ガン予防会
乗るなら飲むな
飲んだら乗るな
できればのむな
ガン予防会
のんだら消しな
町内消防団

ゴハンよ！
アラ もう来《き》たの！ いつも……こないから すぐつくるワ
へんなこ！
そっちこそ！

雪のハプニング
サイフがおちてました
こりゃどうもありがとう

15
16
15
16
ひな人形展
ホー宅《たく》地《ち》造《ぞう》成《せい》ビナか

サトウもゼイキン
コーヒーもゼイキン
えいがもゼイキン
パチンコもゼイキン
ゆ
フロもゼイキン
サケもタバコもゼイキンか
おでん
ホンコンかぜだって税関《ぜいかん》とおってきたビールスよ

東西伝説交流

ゼイム署《しょ》からよびだしょ！
たてぐ店
泣《な》きおとすよりてはねえ……
ガバ
TOILET
よんだのはトイレのカナグがこわれたんだけどネ

春
きゅうこん
イイワ
OKよ
さっしの
いいのがいてネ、
こんやくしたよ

コラッ!! まて!
またんと うつぞ!! まてーッ
たかが ネズミに おおぎょうだネ
しょく ぎょう がらだョ

カゼにやられた・社《しゃ》にデンワしてくれ

みんなにうんとオーバーにいっちゃお

なんだ……ピンピンしてんじゃないか

へやはダメだ！にもつはいちおう返《かえ》してくれ

ズー
おやじさーん
メダカの
ゲバ棒《ぼう》
ア、
つまようじ
ネ!
ごっそさーん
詩人《しじん》
だネェ

ふとると心《しん》ぞうにわるい
サケは肝《かん》ぞうをやられる
怒《おこ》ると胃《い》にわるい
と、クヨクヨするのがいちばんわるいんだ
BUS

ア！
おとうさんの会社、B工《こう》業《ぎょう》とがっぺいだョ
はやくおこすためダマしたネ
そーさ、おとうさんの会社なんかがニュースになるかよ

なんだヤキイモかァ
しまった!大学だったのネ

コドモにあえないときはチョットてがみでもかいてやってくださいナ
ウン
おとうさんからだ!!
コドモたちからもごへんじだしたら？
ウン
みんなあたしに代筆《だいひつ》させるんだヨ

おとうさんのコドモのころなんか……
いいじゃァないの
バレンタインデーだもの
すて犬!
いいじゃないの今日《きょう》はしょうしょうのことがあったって!!

しつれい
メガネを
わすれ
たもんで
入学しけん場

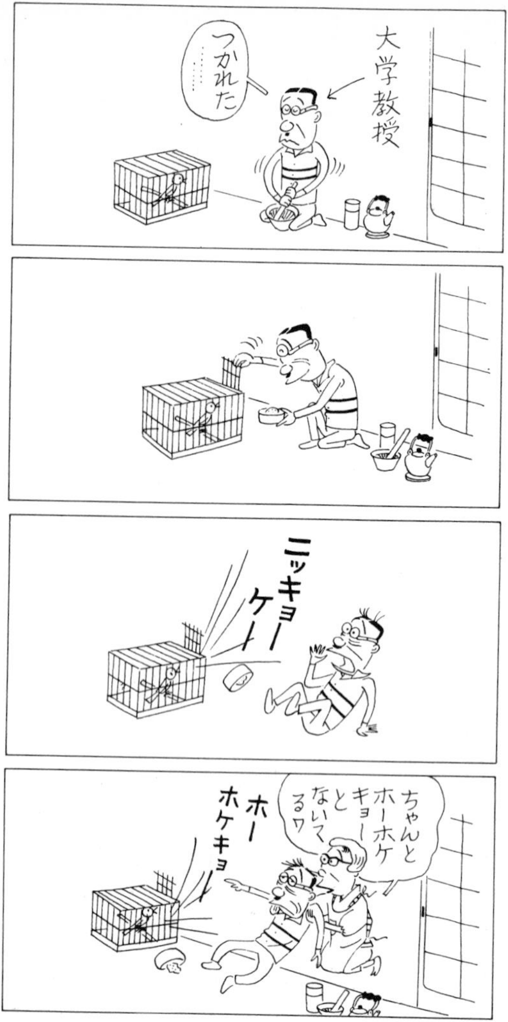

大学教授
つかれた……
ニッキョー
ケー
ちゃんとホーホケキョーとないてるワ
ホー
ホケキョー

あんたたちの出るマクじゃないッ
ダメ……はなしは交通《こうつう》じこをはなれてる
あいてがホステスつれたていしゅだったんだからネ

えッ!!
ごうかくした
ドターッ
信《しん》じられん!!
ほんとうか??
演技《えんぎ》する親心《おやごころ》わかるけどボク裏口《うらぐち》入学《にゅうがく》してるんだ

あぶない‼
どいて!
どいて!
どいて!
どいて〜‼
このへんのコドモ、スキーぎじゅつがわかるのネ

けい馬
24日-26日
ギャンブルについてどうお考《かんが》えですか？
むろんよかァないけど……つい
たとえスッテンテンになろうがこればっかりはやめられんなら！

おたくから
おくさんブジ
出産《しゅっさん》だって
バッカだなア
べつべつに
うめば
二ど
出産《しゅっさん》きゅうかがとれたのに

いいコがいるけどもらわないか
まだやいてないけど
こりゃア美人《びじん》だ!!
カメラマンだからわかるナ!
わかるわかる

オカシ
バット
オヨメさん
ねえ ほしいョ・カワイコちゃん
母おやが過保護《かほご》にそだてすぎたか……

よなれたもんだ.

どうなった～？
社長《しゃちょう》の愛人《あいじん》をバラバラにきってうめたとこ
あ、そう
これが七さいのコドモとかわす会《かい》話《わ》か

簡《かん》便《べん》
カミナフキン
カミコップ
カミのサラ
カミパンツ
カミおむつ
ペーパーのカサまでできてるヨ・このごろ

グループサウンズ
社長
マンガ
社長
よォ！スギチョビレスギカキスラのハッパフミフミ
ウチでもやっと中卒《ちゅうそつ》一名かくとくできたので はなしがあわんとネ

へえ……
rant
だれーもとがめねえのか!
じゃコレはこんじゃってよ、ウチのカイダンにてごろだ
やっぱりいけないの?
おかしいなア

新かんせん
この列車《れっしゃ》一ぱんのかたはのれません
ぼうがいにそなえて、では入試《にゅうし》をはじめます
まさか!!
ウソだ!

スキヤキ!!
いっしょじゃソンだ
ソクドがちがラ
さをつけなきゃ
あわないあわない
けっきょく政治《せいじ》のヒンコンですよネ

なんだ
こんなカミ
ツキレ
卒業証
ビリー
卒業証書
カックイ〜
やぶったほう
はイミテー
ション

課長《かちょう》ンとこでのみたすかナ
キミいいとこにきてくれた さっきまでマージャンで一しょだったよナ
そ、そうでした
まア! それに先夜《せんや》はおじゃまさまでした
ハ、ハア?
大雪《ゆき》の晩《ばん》、キミのとこにとまったことになってんだ
えらいとこにきた

チェーンをまかずばなるまい
ちがうちがう、サンポじゃないってば
こんなふうにおしがよわいんで万《まん》年ヒラなんだオレは
BUS

どうなのよ、せいせきひょうのよそう
ねェ〜
シンブンのレンサイマンガ
ハハァ5はないってワケか
1
2
3
4

また公《こう》団《だん》アパートはずれた?
ウチはくじ運《うん》がわるいんですヨ
三代《だい》同居《どうきょ》がつづいてるんですから

とうきょう駅
えきべん七つに
お茶《ちゃ》七つ
さア！てってい的《てき》に家事《かじ》をサボるゾ

ヤスオ、おりなさい
イヤー
もういいのッ！
ニュービジネス

およしなさいよ、まてば安くなるからサ
カラーテレビ
どうぐがよけりゃうまくうてるってもんじゃなし
からだにドクですよ
キミはあんがいしんみだねェ
バード
BIRD
すこしこっちにゆうずうしてもらいたいんです。今月《こんげつ》はなにかとものいりで

三億円
1日
4月
よくよくついてるヤツだョ

カラだ!!
ハッ
カラであたりまえ
ソーカどうも三億円事件《じけん》いらいカバンノイローゼ

大口《ぐち》どうしのガッペイがはやるなァ
……
大口《ぐち》どうしのガッペイは……

自衛官の入場拒《きょ》否《ひ》
自衛官の入場拒《きょ》否《ひ》
賞品みんなもってかれちゃうもの

おとうさんってらくてん家《か》だネ〜!!

セントラル
ヒーティング
サラあらい機
電子レンジ
あら、ゴメンアサァセ
イーエ、イーエ

ちょっとセンセイ、ゴハンたべてきますからネ
アナタ三十五回《かい》かむのヨ
わかってまス

どうしたの？
まさか、わかるまいとおもったんだ
パチンコ！

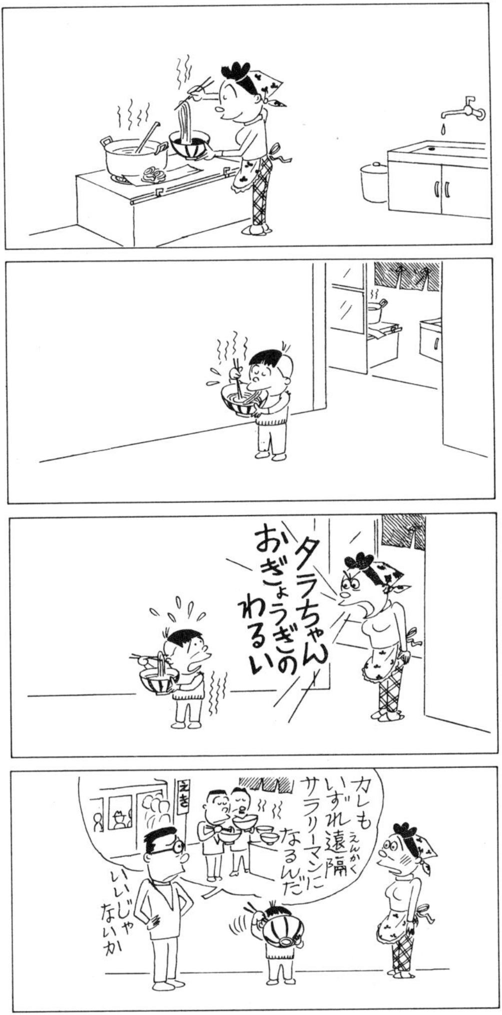
タラちゃん おぎょうぎのわるい
えき
カレもいずれ遠隔《えんかく》サラリーマンになるんだ
いいじゃないか

借《か》りもの人生《じんせい》
ゲッキュウ前がりして
レンタカーにのって
借《か》り菜園《さいえん》でいきぬきする

スト
ストについてひとこと
これだけ大ぜいのニンゲンがいるのに
うちのカンゴフなぜいない
アタマにきたお医《い》者《しゃ》さんだな

よりみちして
クリーム
アンミツ
たべてくかな
BUS
それとも
ケーキかって
ウチで
たべよか
……
BUS
質《しつ》より量《りょう》なら
タイ
ヤキ
BUS
アー
美人《びじん》が
ものおもいに
しずんでる
とこは
いいなア
BUS

店《みせ》はきたないがウマイものくわすんだ
小料理
酒
オヤジさん!
まずサケね
サケなら人肌《ひとはだ》だ

おとなりのご主人《しゅじん》は
部《ぶ》長《ちょう》におなりですって
ノブオちゃん一ねんからずっと一ばんですってヨ
新幹線《しんかんせん》に……マアかんしんなもうどう犬《けん》!!

おてせい
アイスクリーム
いつかたまるの？
もうかたまったー？
歴《れき》史《し》のテストがあるんだからしずかにしてヨ!!
そのときふじわらのかたまりは……
かまたりのことらしいわネ

マンガブーム
プーッ
オレのかいたマンガだからな……

また!
やめなさい
高速《こうそく》できてから、へんなアソビおぼえちゃって

ネェ、うらのタカハシさんのご主人がね
うんうん
あなたきいてんの？
きいてるとも
むかしむかしコブトリじいさんがおりました
うんうんそれで？
きいてない

カレーライス
カレーライス
カレーライス
なにーっ?
なら一ぺん言《い》や わかるんだ

父おや

アフリカ帰《がえ》り
ダーン
タマあたったのコレ？それヒルネしてるだけ

クーラー買《か》って!!
ダメ! こんどのボーナスはゴルフ道《どう》具《ぐ》にあてる
ア、そう
じゃこうしてすずましていただくワ

友《とも》とバッタリ
一しょにしょくじ
ばんのざいりょうレイゾウコ
タラちゃん泣《な》かすな火の用心《ようじん》
デンワ三分できれるのは十月からよ
ソーカ

ボーナス
もう出たんですか!!
わが社の製品《せいひん》のせいしつじょう
そういえば下剤《げざい》つくってる会社《かいしゃ》だったワ

しぜんはいいワネー
ウン
アナタ島《しま》にあがってみない？
しずかだ人《ひと》っこひとりいないワ
トモコオレをころさンでくれ

ヒルか……
これがにちよう大工《だいく》だとか
にちよう画《が》家《か》のしゅみならいいけどサ
社員食堂
社長《しゃちょう》のお手《て》料理《りょうり》だからおかわりするように

バカ
いま
りこんの
てつづき
そうだん中《ちゅう》だ

着色
クチベニだって食ってるわけだけどかまわねえンかなア

夫《ふう》婦《ふ》協力《きょうりょく》
オーイ、カラーテレビの音《おと》が大きすぎるよ
え？カラーテレビ？ハイハイ
わかりましたョ

ドライブで連休《れんきゅう》をたのしもう!!
××じどう車
ご旅行《りょこう》には展望《てんぼう》ずい一の○○ホテル
HOTEL
ユウラン船《せん》でわん内《ない》一周《しゅう》しんせんなおサカナリョウリ
おそう式《しき》は△△そうぎ社
おねだん
割びき

らくだよネー
交通《こうつう》ラッシュがないんだもんネ〜

画材

産院
オンナのおこさん、おメデトウ！
みてやって保育器《ほいくき》にはいってるのヨ
わかった！
だからはこいりムスメっていうのネ！

一ぺんチクッとするだけ
ほんと？
ほんとネ？
ホント！

スミマセン！ウチじゅうでかけますンで おネガイしまーす
いってらっしゃい
なぜウチでも二人とも出かけますってキッパリ言《い》わないのヨ
お前《まえ》との見合《みあい》のヘンジもキッパリ言《い》えなくてしくじった
かってになさい

ハルだワ〜
……
あなたちょっと出てきてごらんなさいよ！
ねーエ

もう四じ半《はん》だヨ
フーン
五か!
こんやは……チャーハン
こんだて
1 オデン
2 やきザカナ
3 カレーライス
4 コロッケ
5 チャーハン
レパートリーがすくなすぎる主《しゅ》婦《ふ》のタイマンだ!!
こんだて
1 オデン
2 やきザカナ
3 カレーライス
4 コロッケ

クリー
ニング
すみません
シャツがドゴールになっちゃって
やぶれた！

まァ、ゴールデンウイークどこにもでかけないんですか？
つカラばカリガ能《のう》じゃない
こっちゃサイドビジネスでかせぐんだ
イガイとあてたんだナこれが
おフクロの味
ベントウ
よやく受付

五月連休
グータラして！今日のマンガはどうした
今日シンブンのマンガなんかみないんじゃない
?
総《そう》レジャーでサ
いわれてみりゃそうだ

くろう性《しょう》
こどもドリームランド
しはいにん
マンインの
いりでス
てばなしで
よろこべるか
十数《すう》年後《ご》
核《かく》家《か》族《ぞく》は
3.5人にへる
んだゾ
そのとき
ケイエイは
どうなる

レジャーのときは
ムナしいような良心のカシャクをかんじ
シゴトのときは
なんでアクセクするンかとやっぱリムナしいきぶんになるンだ
人生ってけっきょくムナしいんじゃない

クッキー
Cookie
クッキー
Cookie
クッキー
Cookie
クッキー
Cookie

ゲイジュツ
山かじ!!
タイヘンダ
よろず屋
たばこ
赤いエノグがあったらみんなくれ!

かせいふさん来《き》たようネ
そうネ!
きょうは母《はは》の日だからトウちゃんが
行《ゆ》けよとコドモらが

パン
こっちもう
うどん
くいっぱぐれないように生《い》きてくのはタイヘンだ
うどん
100

流《りゅう》行《こう》歌《か》
レコード
えき
ブルーライトよこはま、一まい
よこはまですネ
ソー

応接室
ヤ、どうもどうも
おまたせしまして
こういうものでス
北三郎
ほーペーさんとおっしゃるんですネ
「きた」です
北三郎
マージャンのしすぎだワ
応接室

ふつうのケガ
センセイもうツエなしであるいていいでしょうか？
ああ、いいでしょう
交通《こうつう》事故《じこ》のケガ
センセイもうツエなしであるいていいでしょうか？
いやまだまだとらんほうがいい
ベンゴシ

プレゼント
スケスケルック!!
しかもメイドインパリ!
どう!!このカックイーこと
サイテイね!
ウチのワイフ「裸《はだか》の王《おう》さま」じゃなかったワイ

どうせケッコンするんだものいいじゃないか……ネエ……
ネ、ネ
スマン、ボーナスでたらきっとかえすヨ

けんがく
ダッコク機《き》
いたずらし
ちゃダメだ

とってくださる？
ダメなんだ
たのみこまれてネふよう家族《かぞく》が多《おお》いんだって

あなたもダービーファンですか

ダービー
きょうは どこも ダービー ですナ
よーく みてやって ください
西部劇《せいぶげき》!!
チャンネル権《けん》をにぎられて

家庭用品 コーナー
このての
ポットが
お茶《ちゃ》の間《ま》の
ニンキでして
みえんぞ
どけて
どけて

トウメイ高速《こうそく》全《ぜん》せんかいつうしたわネ
すっとばしたらキモチいいわネ
そらキモチいいわョ
そらあんた三日、四日べんぴしてても
通《つう》じたときはソウカイだもの!!
けいけんしたものでないとネー

しかしまァかいがいしくはたらくよなァ
またポケットをあらためずにセンタクしたな

サザエさん　㊳

1995年2月15日　第1刷印刷
1995年3月1日　第1刷発行

著　者　長谷川町子

発行者　天羽直之
印刷・製本　川口印刷工業株式会社
発行所　朝日新聞社
〒104-11　東京都中央区築地5-3-2
電話　03(3545)0131（代表）
編集＝書籍第一編集室　販売＝出版営業部
振替　00100-7-1730

定価はカバーに表示してあります

ISBN4-02-260988-5

また来月お会いしましょう!!

全45巻　毎月15日発売